C.848 ①
T

il était une fois...
...peux-tu me dire?

Babette et Bouboule le chat

Texte
Toufik Ehm

Illustrations
Luc Savoie

Conseillers à la publication
Roger Aubin
Gilles Bertrand
Joseph R. DeVarennes
Jean-Pierre Durocher

Grolier Limitée
MONTRÉAL

© 1989 Québec Agenda Inc.

Dépôt légal : 3e trimestre 1989
Bibliothèque nationale du Québec
Bibliothèque nationale du Canada

ISBN 2-8929-4154-7

Imprimé au Canada

Babette et Bouboule le chat

Babette a reçu un petit chat comme cadeau d'anniversaire. Elle est très contente. Elle a placé un coussin dans une boîte afin qu'il puisse dormir.

— Et pour qu'il mange ? demande-t-elle à sa maman.

— Il a deux plats qu'on va mettre dans la cuisine près du buffet. Dans l'un il y aura de la nourriture et dans l'autre de l'eau.

— Mais il faut aussi lui donner du lait, dit Babette.

— Oui, c'est vrai, reconnaît sa maman.

Elle prend un petit bol du buffet et le remplit à moitié de lait.

— Voilà ! Avec ça, il sera heureux.

Elle dépose le petit bol près des deux plats.

— Oh! regarde, dit Babette.

Le petit chat est en train de gratter de sa patte la moquette du salon.

— Ah ça! s'exclame la maman de Babette, il faut le porter tout de suite à sa boîte à sable.

— Pourquoi? demande Babette.

— Parce que quand il gratte avec sa patte, c'est qu'il veut faire ses besoins.

— Ses besoins?

— Oui. Il a envie de faire pipi.

Babette sait bien que si le petit chat fait ses besoins sur la moquette, sa maman ne sera pas contente. Elle court, prend le petit chat et le porte jusqu'à sa boîte à sable près de l'entrée de la cuisine.

— Ce que tu devrais faire, conseille sa maman, c'est lui montrer à gratter le sable de la boîte avec sa patte. De cette façon, il pourra s'habituer à faire ses besoins dans sa boîte.

Babette fait ce que sa maman lui a dit et le petit chat commence à gratter tout seul le sable.

— Voilà, dit Babette, le petit chat s'est habitué.

— Au lieu de l'appeler le petit chat, tu ferais mieux de l'habituer au nom que tu lui as donné.

— C'est vrai, dit Babette, il s'appelle Bouboule. Bouboule, Bouboule, Bouboule, commence-t-elle à répéter.

Le petit chat lève les yeux, saute de la boîte à sable et court vers elle.

— Il a compris que c'est son nom ! s'exclame Babette.

Elle prend une ficelle et la balance au-dessus de Bouboule qui saute et essaye de l'attraper. Babette s'amuse beaucoup.

— Attends, dit-elle à Bouboule, je reviens.

Elle court vers sa chambre, mais Bouboule la suit en trottant. Babette fouille dans son coffre à jouets et prend une balle en caoutchouc. Elle la lance sur le plancher. Bouboule court derrière, l'attrape, puis joue avec à coups de pattes.

Soudain, la balle roule sous le lit. Bouboule se précipite derrière et disparaît.

— Oh! la la! dit Babette.

Elle se couche à plat ventre et regarde sous le lit. Bouboule est encore en train de jouer avec la balle.

— Reviens ici, Bouboule.

Mais le petit chat ne lui obéit pas.

— Je vais te tirer les oreilles si tu ne reviens pas, menace-t-elle.

Soudain, la balle surgit de dessous le lit et Bouboule aussi. Babette prend la balle et Bouboule se calme.

— Tu es fou, toi, dit Babette.

Bouboule se met alors à tourner sur lui-même en poursuivant sa queue.

— J'ai adopté un chat fou, dit Babette à sa maman qui vient d'entrer dans sa chambre.

— Mais non, Babette, tous les petits chats font ça. Ils aiment bouger et s'amuser.

Babette se met à rire.

— Il est fou, mais je l'aime quand même, dit-elle en le prenant dans ses bras et en le caressant.

— Miaou, fait Bouboule.

... peux-tu me dire ?

Qu'est-ce que le petit chat mange pou se nourrir ?
Pourquoi le petit chat gratte-t-il la moquette du salon avec sa patte ?
Comment s'appelle le petit chat de Babette ?

Babette a reçu comme cadeau d'anniversaire un petit chat. Elle l'a appelé Bouboule. Elle lui a placé des plats dans la cuisine, l'un pour la nourriture, l'autre pour l'eau et le troisième pour le lait. Elle lui a aussi mis une boîte à sable pour ses besoins. Babette et Bouboule s'amusent bien ensemble.

Le papa de Babette rentre de son travail le soir.

— Bonsoir, papa, fait Babette.

Il l'embrasse et sort un paquet de sa poche.

— C'est un cadeau pour ton chat Loulou, fait-il.

Babette éclate de rire.

— Mais il ne s'appelle pas Loulou, son nom c'est Bouboule.

En entendant «Bouboule», le petit chat arrive à toute vitesse.

— Tu vois, fait Babette, il comprend quand on l'appelle.

Elle prend le paquet et le défait.

— C'est quoi ça ? demande-t-elle.

— C'est un collier.

— Un collier ? Mais ce n'est pas un chien, s'étonne Babette.

Sa maman qui était dans la cuisine arrive à ce moment-là.

— Ah, dit-elle, ce n'est pas un collier normal, c'est un collier spécial.

— Spécial comment ?

C'est un collier pour empêcher que Bouboule attrape des puces.

Babette est révoltée.

— Mais Bouboule n'a pas de puces.

Ses parents éclatent de rire.

— Mais tous les chats peuvent attraper des puces, explique son père, mais avec ce collier, elles ne voudront pas l'approcher.

— Ah bon ! Et c'est quoi ça, fait-elle en désignant une petite plaque.

— Là-dessus, explique son papa, il faut écrire son nom et le numéro de téléphone de la maison. Comme ça, s'il se perd, et si quelqu'un le retrouve, il pourra téléphoner et on ira le chercher.

Babette se tourne vers Bouboule qui est en train de lapper du lait.

— Tu n'iras quand même pas te sauver et te perdre ?

— Miaou, fait Bouboule en se léchant les babines.

— Bon, il faut lui mettre son collier, dit le papa de Babette.

Babette prend Bouboule sur ses genoux et son papa place le collier autour du cou du petit chat. Il n'a pas l'air d'aimer ça, il se débat et donne des coups de pattes.

Ensuite la maman de Babette écrit son nom et le numéro de téléphone de la maison sur la petite plaque et l'accroche au collier.

Voilà ! C'est fait.

Bouboule retourne jouer avec la balle de caoutchouc. Il a déjà oublié qu'il a un collier autour du cou.

Il est fou ce chat, soupire Babette, mais je l'aime quand même.

... peux-tu me dire ?

Pourquoi le papa de Babette a-t-il acheté un collier pour Bouboule ? À quoi sert la petite plaque ? Pourquoi Bouboule doit-il la porter avec son collier ?

Babette a reçu comme cadeau d'anniversaire un petit chat. Elle l'a appelé Bouboule. Elle lui a placé des plats dans la cuisine, l'un pour la nourriture, l'autre pour l'eau et le troisième pour le lait. Elle lui a aussi mis une boîte à sable pour ses besoins. Babette et Bouboule s'amusent bien ensemble. Le papa de Babette a acheté pour Bouboule un collier contre les puces et une plaque pour l'identifier au cas où il se perdrait.

Babette rentre de l'école. Elle prend son bain et fait ses devoirs. Bouboule est couché sur son lit. Quand elle le caresse, il se met à ronronner.

— C'est bizarre, dit-elle à sa mère, on dirait qu'il a une « caverne à ronronnements » dans la gorge.

Sa maman rit.

— Oui, on dirait. Mais je crois que là, il serait temps de le laver.

Babette est étonnée.

— Ça ne se lave pas un chat ! Il se lave tout seul en se léchant. D'ailleurs, il passe son temps à se lécher. D'abord les pattes, puis le museau, puis le dos, le ventre et la queue.

— Mais quand même, ce n'est pas suffisant. De temps à autre, il faut lui faire une grande toilette. J'ai acheté du shampooing spécial pour les chats et j'ai préparé de l'eau tiède et des serviettes.

Babette et sa maman s'y mettent. Il faut d'abord enlever le collier du petit chat puis doucement lui mouiller le poil. Babette verse dessus du shampooing et sa maman le frotte. Il n'a pas l'air d'aimer beaucoup prendre son bain, Bouboule. Il se débat un peu puis se laisse faire. Il faut faire attention à ses yeux et ses oreilles. Ensuite, il faut bien le rincer à l'eau tiède.

— Donne-moi la serviette, demande la maman de Babette.

Le petit chat est enroulé dans la douce serviette de bain pour être séché.

— Miaou, fait Bouboule.

Ensuite, avec des tiges de coton, il faut lui nettoyer les oreilles.

— Miaou, miaou, fait Bouboule.

Babette le frotte avec la serviette pour lui sécher les poils plus vite.

— Tu peux le laisser maintenant, dit sa mère.

Bouboule fait quelques pas. Il est tout drôle avec son poil collé. Il ressemble à une grosse souris mouillée. Il se met à se lécher.

Rapidement, il est tout sec et propre, propre.

— Maintenant, il faut le brosser, dit la maman de Babette.

Babette prend la brosse spéciale pour chat et lui brosse doucement le poil. Elle sait qu'il faut le brosser souvent pour enlever les poils en trop afin qu'il ne les avale pas en se léchant.

Et voilà que Bouboule est tout beau. Babette lui remet son collier. Il va alors sur le divan du salon et se couche. Il a l'air épuisé, Bouboule.

— Miaou, miaou, fait-il avant de fermer les yeux.

— Il est fou ce chat, fait Babette en riant, mais je l'aime quand même. Bonne nuit, Bouboule!

... peux-tu me dire?

Comment se lèche un chat?
Pourquoi faut-il de temps à autre le laver avec du shampooing spécial?
Pourquoi faut-il brosser souvent un chat?

Babette a reçu comme cadeau d'anniversaire un petit chat. Elle l'a appelé Bouboule. Elle lui a placé des plats dans la cuisine, l'un pour la nourriture, l'autre pour l'eau et le troisième pour le lait. Elle lui a aussi mis une boîte à sable pour ses besoins. Babette et Bouboule s'amusent bien ensemble. Le papa de Babette a acheté pour Bouboule un collier contre les puces et une plaque pour l'identifier au cas où il se perdrait.

Ce samedi-là, Babette se réveille tout heureuse car c'est un jour de congé. Pas d'école !

Elle regarde au pied de son lit, mais Bouboule n'est pas là. D'habitude, il se couche sur son lit et dès qu'elle se lève, il se réveille.

— Miaou, miaou, fait-il alors.

Babette va dans la cuisine pour lui donner sa nourriture et son lait. Bouboule la suit, très content, sans cesser de miauler.

— Miaou, miaou, miaou !

Mais ce matin, pas de Bouboule !

Babette fait le tour de la maison.

— Bouboule, appelle-t-elle, Bouboule, viens ici.

Pas de réponse. Babette s'inquiète. Ses parents sont dans la cuisine en train de déjeuner.

— Vous n'avez pas vu Bouboule ? demande Babette.

— Non, répond son papa, il n'est pas dans ta chambre ?

— Il n'y est pas, répond Babette.

Son cœur bat très fort. Mais où est-il donc ?

— Il faut chercher partout, dit sa maman. Les chats, ça peut se cacher partout.

Ils regardent sous les lits et les fauteuils, cherchent dans les armoires, mais pas de trace du petit chat.

Babette se met à sangloter.

— Bouboule a disparu... On ne va jamais le revoir...

Sa maman la prend dans ses bras pour la consoler.

— Mais non, on va le retrouver.

C'est alors que le papa de Babette voit la porte-fenêtre du salon à demi-ouverte.

— Regardez, dit-il, il a dû sortir dans le jardin.

Ils cherchent dans le jardin, mais Bouboule a bel et bien disparu.

Babette est toute malheureuse.

— Jamais je ne le reverrai, pleurniche-t-elle.

Sa maman essaie de la calmer.

— Mais, voyons Babette, il va revenir. Tu sais que les chats reviennent toujours chez eux.

— C'est vrai ça ? demande Babette.

— Bien oui, dit son papa, il y a même des chats qui ont traversé tout un pays pour rejoindre leurs maîtres lorsque ceux-ci ont déménagé et les ont oubliés.

— C'est vrai ça ? redemande Babette en essuyant les larmes sur ses joues.

C'est alors que le téléphone se met à sonner. Le papa de Babette décroche.

— Allô, dit-il, oui... oui... oui... bien, on arrive tout de suite.

Il raccroche le téléphone en souriant.

— C'est monsieur Tremblay, notre voisin. Il dit qu'il a trouvé un chat et que sur la plaque de son collier, c'est écrit « Bouboule » et notre numéro de téléphone.

— Youpie ! s'écrie Babette en sautant de joie, il faut aller tout de suite le récupérer.

Ses parents se mettent à rire.

— Du calme, Babette. Il faut d'abord t'habiller et déjeuner, puis on ira chercher Bouboule.

Babette fait sa toilette en vitesse, s'habille et prend son petit déjeuner.

— Voilà, dit-elle, j'ai fini.

— Bien, dit son papa, on y va.

Et ils partent tous les trois chez monsieur Tremblay leur voisin.

... peux-tu me dire ?

Que fait Bouboule quand Babette se réveille le matin ?
Comment Bouboule a-t-il disparu ?
Comment Monsieur Tremblay a-t-il su que Bouboule appartient à Babette ?

Babette a reçu comme cadeau d'anniversaire un petit chat. Elle l'a appelé Bouboule. Babette et Bouboule s'amusent bien ensemble. Le papa de Babette a acheté pour Bouboule un collier contre les puces et une plaque pour l'identifier au cas où il se perdrait. Et voilà que Bouboule se sauve par la porte-fenêtre mal fermée du salon. Babette est très malheureuse. Mais monsieur Tremblay, le voisin, téléphone pour dire que Bouboule est chez lui. Babette et ses parents vont pour le récupérer.

Lorsque Babette et ses parents arrivent chez monsieur Tremblay, il les attend devant sa porte. Il a l'air désespéré.

— Il n'est plus là, dit-il en écartant les bras.

— Il s'est encore sauvé? demande Babette.

— Eh oui. J'avais ouvert la porte pour vous attendre et le petit sacripan s'est faufilé entre mes jambes et a disparu dans les buissons. Je l'ai cherché, je l'ai appelé, mais en vain.

Babette sanglotte :

— Oh non ! il va se perdre pour de bon.

— Miaou, miaou.

Babette sursaute.

— Vous avez entendu ? demande-t-elle.

— Non, répond son père.

— Quoi ? dit sa mère.

— Écoutez ! dit Babette.

Tout le monde tend l'oreille.

— Miaou, miaou!

— Bien oui, dit monsieur Tremblay, c'est un miaulement. Ça ne peut être que votre Bouboule.

— Miaou, miaou!

Tout le monde regarde aux alentours.

— Miaou, miaou!

Personne ne le voit.

— Miaou, miaou!

— Là! s'écrie monsieur Tremblay.

Eh oui! Bouboule est tout en haut d'un arbre, agrippé à une branche.

— Miaou, miaou!

Bouboule est monté dans l'arbre, mais maintenant, il a peur de descendre.

Que faire?

... peux-tu me dire?

Comment Bouboule s'est-il encore sauvé?
Où se trouvait Bouboule après avoir faussé compagnie à monsieur Tremblay?

Babette a reçu comme cadeau d'anniversaire un petit chat. Elle l'a appelé Bouboule. Babette et Bouboule s'amusent bien ensemble. Le papa de Babette a acheté pour Bouboule un collier contre les puces et une plaque pour l'identifier au cas où il se perdrait. Et voilà que Bouboule se sauve par la porte-fenêtre mal fermée du salon. Babette est très malheureuse. Monsieur Tremblay, le voisin, téléphone pour dire que Bouboule est chez lui. Babette et ses parents vont pour le récupérer. Mais Bouboule est monté dans un arbre et il a peur d'en descendre.

— Miaou, miaou !

— Il est bien mal pris votre Bouboule, dit monsieur Tremblay.

Babette va jusqu'au pied de l'arbre.

— Bouboule, crie-t-elle, viens ici, descends.

—Miaou, miaou ! fait Bouboule en s'agrippant de toutes ses griffes à la branche.

Monsieur Tremblay et les parents de Babette s'approchent de l'arbre. Ils se mettent tous à crier à Bouboule de sauter.

— Miaou, miaou !

Rien n'y fait, Bouboule a trop peur.

— Je crois, dit monsieur Tremblay, qu'il va falloir intervenir sérieusement.

— Comment ? demande Babette.

— Je vais chercher mon échelle.

Monsieur Tremblay va jusqu'à son garage et revient avec une longue échelle. Il la pose contre l'arbre.

— Tenez-la bien pendant que je monte, dit-il.

Le papa de Babette tient l'échelle et monsieur Tremblay monte jusqu'en haut. Lorsqu'il arrive près de Bouboule,
celui-ci se met à miauler de plus belle.

— Miaou, miaou, miaou !

Mais monsieur Tremblay ne se laisse pas impres-
sionner. Il saisit Bouboule par la peau du cou et redescend
avec.

— Voilà! dit-il en donnant le petit chat à Babette.

— Miaou, miaou! miaule très fort Bouboule.

Babette le serre dans ses bras et il se met aussitôt à ronronner.

— Miaou, miaou! fait doucement Bouboule maintenant tout à fait rassuré.

— Il est fou ce chat, dit Babette, mais je l'aime bien quand même.

Tout le monde éclate de rire.

C'est vrai qu'il est fou ce petit chat, mais on l'aime bien quand même nous aussi.

... peux-tu me dire?

Pourquoi Bouboule ne veut pas descendre de l'arbre?
Comment Bouboule est-il enfin descendu?
As-tu un chat? Comment s'appelle-t-il?